义务教育课程标准实验教科书

语文

YU WEN

二 年 级 下册

二年级____班

姓名_____

绿色印刷 保护环境 爱护健康

亲爱的同学们：

　　你们手中的这本教科书采用绿色印刷标准印制，在它的封底印有"绿色印刷产品"标志。从2013年秋季学期起，北京地区出版并使用的义务教育阶段中小学教科书全部采用绿色印刷。

　　按照国家环境标准（HJ2503-2011）《环境标志产品技术要求　印刷　第一部分：平版印刷》，绿色印刷选用环保型纸张、油墨、胶水等原辅材料，生产过程注重节能减排，印刷产品符合人体健康要求。

　　让我们携起手来，支持绿色印刷，选择绿色印刷产品，共同关爱环境，一起健康成长！

北京市绿色印刷工程

义务教育课程标准实验教科书

语　文

二年级　下册

课 程 教 材 研 究 所　编著
小学语文课程教材研究开发中心

*

人民教育出版社出版发行

网址：http://www.pep.com.cn

人民教育出版社印刷厂印装　全国新华书店经销

*

开本：890 毫米×1 240 毫米　1/32　印张：5.5　字数：100 000
2002 年 12 月第 1 版　2016 年 12 月第 17 次印刷
ISBN 978 - 7 - 107 - 16134 - 6
G · 9224（课）　定价：6.50 元

价格依据文件号：京发改规〔2016〕13 号

目 录

标△的是选读课文。

我发现春风是轻轻的、暖暖的，春雨是细细的、密密的。我们走进春天，留心观察，一定会有更多的发现。

1　找春天

　　春天来了！春天来了！

　　我们几个孩子，脱掉棉袄，冲出家门，奔向田野，去寻找春天。

　　春天像个害羞的小姑娘，遮遮掩掩，躲

xiū	zhē	yǎn	duǒ
羞	遮	掩	躲

本文根据经绍珍作品改写。

躲藏藏。我们仔细地找啊，找啊。

小草从地下探出头来，那是春天的眉毛吧？

早开的野花一朵两朵，那是春天的眼睛吧？

树木吐出点点嫩芽，那是春天的音符吧？

探 嫩 符

解冻的小溪丁丁冬冬，那是春天的琴声吧？

春天来了！我们看到了她，我们听到了她，我们闻到了她，我们触到了她。她在柳枝上荡秋千，在风筝尾巴上摇啊摇；她在喜鹊、杜鹃嘴里叫，在桃花、杏花枝头笑……

chù　触　　què　鹊　　dù　杜　　juān　鹃

我会认

羞 遮 掩 躲 探 嫩 符 触 鹊

我会写

脱		冻		溪	
棉		探		摇	
野		躲		解	

读读背背 有感情地朗读课文。背诵课文。

找找说说

野　芽　树　草　桃

枝　柳　花　嫩

"嫩"和"草"可以组成"嫩草"。

咱们建议老师组织一次春游活动吧!

2 古诗两首

草

白居易

离离原上草，
一岁一枯荣。
野火烧不尽，
春风吹又生。

kū
枯

róng
荣

宿新市徐公店

杨万里

篱落疏疏一径深，
树头花落未成阴。
儿童急走追黄蝶，
飞入菜花无处寻。

<table>
<tr><td>sù</td><td>xú</td><td>lí</td><td>shū</td><td>wèi</td></tr>
<tr><td>宿</td><td>徐</td><td>篱</td><td>疏</td><td>未</td></tr>
</table>

我会认

枯 荣 宿 徐 篱 疏 未

我会写

未		追		店	
枯		徐		烧	
荣		菜		宿	

读读背背 朗读课文。背诵课文。

我知道

🎓 白居易是唐(táng)代的大诗人。他写《草》的时候才 16 岁。

🎓 《草》这首诗原来的题目是《赋(fù)得古原草送别》。原诗的后边还有下面的内(nèi)容呢！

　　远芳侵古道，晴翠接荒城。
fāng qīn　　　　　huāng

　　又送王孙去，萋萋满别情。
qī

读了《宿新市徐公店》，看了插图，我能编个故事。你呢？

3 笋芽儿

沙沙沙，沙沙沙。春雨姑娘在绿色的叶丛中弹奏着乐曲，低声呼唤着沉睡的笋芽儿："笋芽儿，醒醒啊，春天来啦！"

笋芽儿被叫醒了。她揉了揉眼睛，伸了伸懒腰，看看四周仍然一片漆黑，撒娇地

sǔn	huàn	róu	réng
笋	唤	揉	仍

qī	sā	jiāo
漆	撒	娇

本文根据倪树根作品改写。

说："是谁在叫我呀？"

轰隆隆！轰隆隆！雷公公把藏了好久的大鼓重重地敲了起来。他用粗重的嗓音呼唤着笋芽儿。

笋芽儿扭动着身子，一个劲儿地向上钻。

妈妈见了，忙给笋芽儿穿

hōng	qiāo	sǎng
轰	敲	嗓

niǔ	zuān
扭	钻

上一件又一件衣服，还不停地唠叨："千万别着凉。"

　　笋芽儿终于钻出了地面。她睁开眼睛一看，啊，多么明亮、多么美丽的世界呀！桃花笑红了脸，柳树摇着绿色的长辫子，小燕子叽叽喳喳地叫着……笋芽儿看看这儿，看看那儿，怎么也看不够。她高兴地说："多美好的春光啊！我要快快长大！"

　　春雨姑娘爱抚着她，滋润着她。太阳公公照射着她，温暖着她。笋芽儿脱下一件件衣服，长成了一株健壮的竹子。她站在山冈上，自豪地喊着："我长大啦！"

láo 唠　zhōng 终　bián 辫　gòu 够　fǔ 抚

zī 滋　rùn 润　gāng 冈　háo 豪

笋　唤　揉　漆　轰　扭　钻
唠　辫　抚　滋　润　冈　豪

我会写

冈			世	界				
轰			笋	芽				
喊			呼	唤				

读一读　有感情地朗读课文。

找找抄抄

我从课文中找到了描写美好春光的句子，还抄下来了。

4　小鹿的玫瑰花

　　春天到了。小鹿在门前的花坛里，栽了一丛玫瑰。他常常去松土、浇水。玫瑰慢慢地抽出枝条，长出了嫩绿的叶子。

　　过了些日子，玫瑰枝头长出了许多花骨朵儿。小鹿和弟弟一起数了数，总共有三十二个，他们高兴极了。

méi　　　　　guī　　　　　gū
玫　　　　　瑰　　　　　骨

本文根据张秋生作品改写。

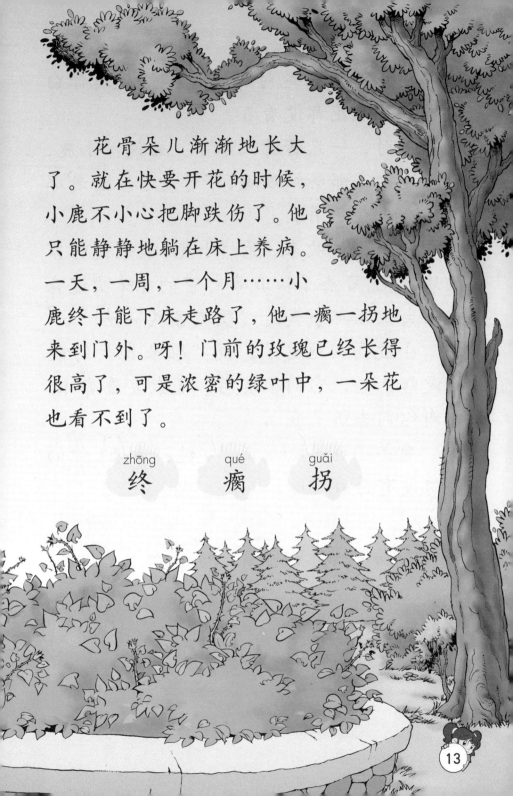

花骨朵儿渐渐地长大了。就在快要开花的时候，小鹿不小心把脚跌伤了。他只能静静地躺在床上养病。一天，一周，一个月……小鹿终于能下床走路了，他一瘸一拐地来到门外。呀！门前的玫瑰已经长得很高了，可是浓密的绿叶中，一朵花也看不到了。

zhōng	qué	guǎi
终	瘸	拐

鹿弟弟惋惜地对哥哥说:"这玫瑰你白栽了,一朵花都没看着。"

这时,一只黄莺飞来了。她说:"小鹿,我见过你家那些红玫瑰,可好看了!看着那些花,我就想唱歌。"

一阵微风吹来,说:"小鹿,我闻过你家的玫瑰花,可香了!我带着它的香味吹过森林,大伙儿都夸我是'玫瑰香风'呢!"

小鹿高兴地笑了,说:"原来我栽的玫瑰是红色的,它们很美丽,还散发着香味。谢谢你们告诉了我。"

鹿弟弟也高兴地笑了,说:"看来,你的玫瑰没有白栽!"

为什么说小鹿的玫瑰没有白栽呢?

wǎn
惋

yīng
莺

玫 瑰 骨 终 瘸 拐 惋 莺

我会写

弟			哥			骨		
抽			拐			浇		
终			静			躺		
谢			渐			微		

读读演演 分角色有感情地朗读课文，再演一演。

我会读

渐渐地　　花骨朵儿渐渐地长大了。

静静地　　小鹿静静地躺在床上养病。

惋惜地　　鹿弟弟惋惜地对哥哥说：

"这玫瑰你白栽了，一朵花都

没看着。"

语文园地一

我的发现

我发现燕子的尾巴像……

日积月累

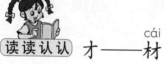

读读认认

才——材（木材） *cái*		列——烈（热烈） *liè*
西——牺（牺牲） *xī* *shēng*		大——达（到达） *dá*
度——渡（渡船） *dù*		安——按（按时） *àn*
冒——帽（帽子） *mào*		本——笨（笨重） *bèn*

材 牺 牲 渡 帽 烈 达 按 笨

● 杨柳绿千里，春风暖万家。

● 黄莺鸣翠柳，紫燕剪^{jiǎn}春风。

● 春风放胆^{dǎn}来梳柳，夜雨瞒^{mán}人去润花。

● 春风一拂^{fú}千山绿，南燕双归万户春。

我会说

美好的春光　　____的天空　　____的阳光

____的田野　　____的小溪　　____的枝条

口语交际

春天里的发现

　　老师带我们去春游，我看到了春天。小草探出了脑袋，蝌蚪快活地游泳(yǒng)，布谷鸟欢乐地歌唱，人们在田野里踏青，小朋友在空地上放风筝……

　　春天多美好！让我们一起来说说在春天里的新发现吧！

写一写

我想把自己在春天里的发现写下来。

展示台

这是我收集的描写春天的词句。

这是我的书法作品。

微风燕子针
细雨鱼儿出

宽带网

　　春天里开的花可真不少，迎春花、玉(yù)兰花、杜(dù)鹃(juān)花……让我们到大自然中去找找，春天还有哪些花。

　　许多城市或(huò)地区都有自己的市花或区花。如，北京是月季花、菊花，洛(luò)阳是牡(mǔ)丹(dān)花，香港(gǎng)是紫荆(jīng)花，澳(ào)门是莲花。查一查资(zī)料，我们可以了解到其他城市的市花。

我们在父母和老师的关怀(huái)下幸福成长。我们也要学会关爱别人。谁需(xū)要帮助，我们就伸出热情的手；谁需要温暖，我们就献上一颗火热的心。

5　泉　水

丁冬，丁冬，是谁在山上弹琴？　哦，原来是一股清泉从石缝里冲出来，来到这阳光灿烂的世界。

泉水流进山腰的水池，山里的姐姐提着瓦罐来打水。泉水说："来吧，来吧！我的水很多很多，山上有一座天然水塔。"

"天然水塔"指的是什么？

ò
哦

gǔ
股

fèng
缝

guàn
罐

tǎ
塔

19

泉水流过山间的平地，火红的杜鹃花照见了自己美丽的身影。泉水说："照吧，照吧！我的水很清很清，像一面明亮的大镜子。"

泉水流到山坡的果园里，果树大口大口地喝水。泉水说："喝吧，喝吧！我的水很甜很甜，喝饱了，你们能结出更大更甜的果子。"

泉水穿过静静的山谷，画眉鸟

dù   juān
杜   鹃

在尽情地歌唱。泉水说："唱吧，唱吧！我的琴声很美很美，正好为你清脆的歌声伴奏。"

丁冬，丁冬，欢快的泉水弹着琴跑下山去。跑呀，跑呀，一路上遇到了好多同伴。他们互相问候：你好！你好！他们互相约定：大海里见！大海里见！

丁冬，丁冬……

cuì
脆

21

我会认

哦 股 缝 罐 塔 杜 鹃 脆

我会写

瓦			泉			然		
结			股			脆		
塔			杜	鹃				

读读背背 有感情地朗读课文。背诵自己喜欢的部分。

我会读

泉水泉水你到哪里去？

我要流进小溪里。

溪水溪水你到哪里去？

我要流进江河里。

江水河水你们要到哪里去？

我们都要流进海洋里。

6　雷锋叔叔，你在哪里

沿着长长的小溪，
寻找雷锋的足迹。
雷锋叔叔，你在哪里，
你在哪里？

小溪说：
昨天，他曾路过这里，
抱着迷路的孩子，
冒着蒙蒙的细雨。
瞧，那泥泞路上的脚窝，
就是他留下的足迹。

顺着弯弯的小路，
寻找雷锋的足迹。

fēng	shū	céng	nìng	wō
锋	叔	曾	泞	窝

雷锋叔叔，你在哪里，
你在哪里？

小路说：
昨天，他曾路过这里，
背着年迈的大娘，
踏着路上的荆棘。
瞧，那花瓣上晶莹的露珠，
就是他洒下的汗滴。

mài 迈　jīng 荆　jí 棘　bàn 瓣　yíng 莹

乘着温暖的春风，
我们四处寻觅。
啊，终于找到了——
哪里需要献出爱心，
雷锋叔叔就出现在哪里。

最后一句话是什么意思呢？

我们也去找一
找身边的雷锋吧！

mì
觅

xū
需

锋 叔 曾 泞 窝 迈
荆 棘 瓣 莹 觅 需

冒		雷		需	
迈		迷		迹	
叔		锋		滴	
洒		泥	泞		

读读背背 有感情地朗读课文。背诵课文。

读读记记　弯弯的小路　　　长长的小溪

蒙蒙的细雨　　　温暖的春风

晶莹的露珠

我知道

　　雷锋叔叔是一名解放军战士，只活了22岁。他为人民做了许多好事。当时流传着这样一句话："雷锋出差(chāi)一千里，好事做了一火车。"

　　雷锋叔叔牺牲以后，好几位国家领导人为他题词(cí)。毛泽东主席的题词是："向雷锋同志(zhì)学习。"

7　我不是最弱小的

　　夏天的一个周末，五岁的萨沙和哥哥托利亚，跟父母一起到森林中去玩。森林里的景色是那么美好，空气是那么清新。他们来到林中的一片空地。那里盛开着美丽的铃兰花。

　　"看！这儿还有一朵野蔷薇呢！"大家被萨沙的叫声吸引过来。原来有一丛野蔷薇，被铃兰花簇拥着，开出了第一朵粉红色的花。带着露珠的花朵随风舞动，芬芳扑鼻。一家人坐在野蔷薇旁边，聊起天来。

　　突然，雷声大作，天上飘下几滴雨点，

ruò	mò	sà	tuō	líng	qiáng
弱	末	萨	托	铃	蔷

wēi	cù	suí	fēn	fāng	liáo
薇	簇	随	芬	芳	聊

本文根据苏霍姆林斯基作品改写。

紧接着，下起了倾盆大雨。妈妈赶紧从背包里拿出雨衣递给身边的托利亚，托利亚又把雨衣给了萨沙。

萨沙不解地问："妈妈，您和托利亚都需要雨衣呀，为什么要给我呢？"

妈妈回答说："我们应该保护比自己弱小的。"

萨沙又问："这就是说，我是最弱小的了？"

qīng
倾

dì
递

"要是你谁也保护不了，那你就是最弱小的。"妈妈说着摸了摸萨沙的脑袋。

　　萨沙朝蔷薇花丛走去。大雨已经打掉了两片蔷薇花瓣，花儿无力地垂着头，显得更加娇嫩。萨沙掀起雨衣，轻轻地遮在蔷薇花上，问道："妈妈，现在我还是最弱小的吗？"

　　妈妈笑着说："不，不，你能保护更弱小的，你是勇敢的孩子啦！"

我也能保护比自己弱小的。

chuí　　　　xiǎn　　　　jiāo　　　　xiān
垂　　　　显　　　　娇　　　　掀

我会认

弱　末　萨　托　铃　簇　随
芬　芳　聊　倾　递　娇　掀

我会写

扑			托			摸		
利			铃			弱		
末			芬	芳				
夏			应	该				

读一读　朗读课文，读好带问号、叹号的句子。

我会填　分(区分)　令(　　)　北(　　)　京(　　)

芬(　　)　铃(　　)　背(　　)　景(　　)

这是我积累的词语。你积累了哪些？咱们交流交流吧！

8 卡罗尔和她的小猫

卡罗尔一直想有一只小猫。

爸爸对卡罗尔说:"那我们就在报上登个广告吧。"

广告登出来了,是这样写的:我们非常需要一只小猫。我们会给它安排一个舒适的家,会很好地照顾它。请问您有多余的小猫吗?

卡罗尔端出一碟牛奶,还有一碟点心。她又把旧的软垫放在一个篮子里,就待[dāi]在家里等起小猫来。丁零零,门铃响了,进来的是一个提着篮子的男孩。他说:"我家的猫生了三只小猫,我送给你一只。它叫伯洛。"这是一只黑白相间[jiàn]的花猫。

kǎ 卡　luó 罗　ěr 尔　shì 适　yú 余

duān 端　dié 碟　diàn 垫　luò 洛

本文根据瓦茨作品改写。

卡罗尔接过小猫，送走了男孩。小猫喵喵叫着，卡罗尔说："别难过，我会像你妈妈一样照顾你的。"卡罗尔让小猫喝牛奶，吃点心，还给它玩绒线团。

丁零零，门铃又响了，一个小女孩抱着一只小猫走进来。她说："这是我送给你的小猫。"说完，她放下小猫，跟她妈妈一起走了。

不一会儿，门铃又响了，进来一位叔叔，真滑稽，他的每个衣袋里都有一只小猫。他一蹲下，小猫就扑扑地一个个跳出来，朝屋里跑。

卡罗尔笑了，小猫们真是太有趣了。

打这以后，门铃一直响个不停，好多小猫都来了，什么样的都有。

广告的作用真大！

miāo	róng	huá	jī
喵	绒	滑	稽

晚上，家里可不得了了，小猫在钢琴上跳来跳去，丁丁冬冬响成一片。小猫钻进抽屉里、橱柜里。有人从门外进来，门后会突然扑出一只小猫，吓人一大跳。

ti
屉 gui
柜

爸爸从自己的每只拖鞋里都捉出一只小猫来。他摇着头，说："太多啦，太多啦！这可不行，得想个办法。"

第二天，爸爸又在报纸上登了个广告：免费赠送小猫。请赶快来挑选。

人们从四面八方赶来了。卡罗尔很伤心，整整一天，她都在和小猫告别。天快黑了，奶奶打来一个电话，叫卡罗尔去帮个忙。卡罗尔出门的时候，家里还有三只小猫，等她回来的时候，一只小猫也没有了。

妈妈说："我都给弄糊涂了，怎么把所有的小猫全送人了？我是想留下一只的。"

卡罗尔眼泪都流出来了。屋里冷冷清清的，连滴滴答[dā]答的钟声都听得见。

miǎn　　　　hú　　　　tú

免　　　糊　　　涂

忽然她听见了喵喵的叫声,一只黑白相间的花猫从厨房里跑出来。卡罗尔高兴地叫了起来:"啊! 是伯洛!"

伯洛亲热地用身子蹭着卡罗尔的手,好像在说:"我藏起来,是不愿意给送掉,我想和你在一起。"

卡罗尔终于有了一只她自己的小猫。

chú
厨

cèng
蹭

我会认

卡 罗 尔 适 余 垫 洛 喵
绒 屉 免 糊 涂 厨 蹭

读读说说 默读课文。说说课文哪些地方写得
有趣。

语文园地二

多　吕（lǚ）　昌（chāng）　炎（yán）
双　朋　羽　林
品（pǐn）　晶　众　森

我发现了每组字的特点，你知道是什么吗？

日积月累

读读认认

议——义（yì）（字义）　　塘——唐（táng）（唐诗）

站——占（zhàn）（占领）　　慌——荒（huāng）（荒地）

钩——勾（gōu）（勾画）　　抓——爪（zhuǎ）（爪子）

裤——库（kù）（粮（liáng）库）　符——付（fù）（付钱）

义　占　勾　库　粮　唐　荒　爪　付

读读记记

雷声大作　　倾盆大雨　　阳光灿烂

随风舞动　　芬芳扑鼻　　黑白相间

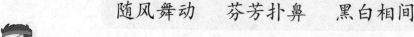

● 花要叶扶，人要人帮。

● 赠人玫瑰，手有余香。

● 帮助别人的人，能得到别人的帮助。

● 诚心能叫石头落泪，实意能叫枯木发芽。

伸出我们的双手

　　生活中很多时候需要我们伸出双手，献上爱心。外地的陌(mò)生人找不到要去的地方，我们可以为他们指路；腿脚不方便(biàn)的老爷爷要给远方的儿子寄信，我们替他把信邮出去……

　　不论是在校内(nèi)还是校外，我们都有好多机会帮助别人。想一想，你周围有需要帮助的人吗？你打算怎样帮助他们呢？把你的想法和大家交流一下，好吗？

展示台

故事会

我们开个故事会吧，讲一讲雷锋的故事。

我来讲一讲身边的雷锋。

查字典擂台

我用部首查字法查到了"标"字的读音。

我用音序查字法很快查到了"触"字，明白了它的意思。

台湾的日月潭，山清水秀，风景如画。新疆(jiāng)的吐鲁(lǔ)番(fān)，牛羊成群，瓜果飘香。首都北京，车如水，人如潮，繁(fán)华而热闹。我们的祖国多么美丽，我们的家乡多么可爱！让我们一起来夸夸家乡，让我们一起把祖国歌唱！

9 日月潭

日月潭是我国台湾省最大的一个湖。它在台中附近的高山上。那里群山环绕，树木茂盛，周围有许多名胜古迹。

日月潭很深，湖水碧绿。湖中央有个美丽的小岛，叫光华岛。小岛把湖水分成两

fù	huán	rào	mào
附	环	绕	茂

本文根据吴壮达作品改写。

半，北边像圆圆的太阳，叫日潭；南边像弯弯的月亮，叫月潭。

清晨，湖面上飘着薄薄的雾。天边的晨星和山上的点点灯光，隐隐约约地倒映在湖水中。

中午，太阳高照，整个日月潭的美景和周围的建筑，都清晰地展现在眼前。要是下

yǐn 隐　　zhù 筑　　xī 晰

起蒙蒙细雨，日月潭好像披上轻纱，周围的景物一片朦胧，就像童话中的仙境。

日月潭风光秀丽，吸引了许许多多的中外游客。

méng
朦

lóng
胧

jìng
境

我知道台湾还有美丽的阿里山。

我知道台湾还有……

我会认

环　绕　茂　隐　筑
晰　朦　胧　境

岛			展		建	
纱			环	绕		
胜			隐	约		
省			茂	盛		

读读背背 有感情地朗读课文。背诵自己喜欢的部分。

读读记记

太阳高照　　群山环绕　　风光秀丽

树木茂盛　　湖水碧绿　　名胜古迹

隐隐约约　　点点灯光　　蒙蒙细雨

我要把会写的词语都抄下来。

10 葡萄沟

新疆吐鲁番有个地方叫葡萄沟。那里出产水果。五月有杏子，七八月有香梨、蜜桃、沙果，到了九十月份，人们最喜爱的葡萄成熟了。

我从地图上找到吐鲁番了！

葡萄种在山坡的梯田上。茂密的枝叶向四面展开，就像搭起了一个个绿色的凉棚。到了秋季，葡萄一大串一大串地挂在绿叶底下，有红的、白的、紫的、暗红

gōu	jiāng	lǔ	fān	mì	tī
沟	疆	鲁	番	蜜	梯

本文根据权宽浮作品改写。

的、淡绿的，五光十色，美丽极了。要是这时候你到葡萄沟去，热情好客的维吾尔族老乡，准会摘下最甜的葡萄，让你吃个够。

收下来的葡萄有的运到城市去，有的运到阴房里制成葡萄干。阴房修在山坡上，样子很像碉堡，四壁留着许多小孔，里面钉[dìng]着许多木架子。成串的葡萄挂在架子上，利用流动的热空气，把水分蒸发掉，就成了葡萄干。这里生产的葡萄干颜色鲜，味道甜，非常有名。

葡萄沟真是个好地方。

wéi 维
wú 吾
gòu 够
diāo 碉
bǎo 堡

沟　疆　鲁　番　蜜　梯
维　吾　够　碉　堡

吾		季		留	
杏		密		蜜	
坡		搭		摘	
钉		沟		够	

读读想想　有感情地朗读课文。想想为什么说葡萄
沟是个好地方。

我会填　　　到了（　　　），葡萄一大串一大串地
挂在（　　　）底下，有（　）的、（　）的、紫的、
暗红的、淡绿的,（　　　　），美丽极了。

我们家乡出产的蜜桃也很有名。

让我们更多地了解
一下自己的家乡吧!

11　难忘的泼水节

　　火红火红的凤凰花开了，傣族人民一年一度的泼水节又到了。

　　今年，傣族人民特别高兴，因为敬爱的周恩来总理要和他们一起过泼水节。

　　那天早晨，人们敲起象脚鼓，从四面八方赶来了。为了欢迎周总理，人们在地上撒满了凤凰花的花瓣，好像铺上了鲜红的地毯。一条条龙船驶过江面，一串串花炮升上天空。人们欢呼着："周总理来了！"

　　周总理身穿对襟白褂，咖啡色长裤，头上包着一条水红色头巾，笑容满面地来到人群中。他接过一只象脚鼓，敲着欢乐的鼓

fèng	huáng	dǎi	ēn	qiāo
凤	凰	傣	恩	敲

sǎ	jīn	guà	kā	fēi
撒	襟	褂	咖	啡

点，踩着凤凰花铺成的"地毯"，同傣族人民一起跳舞。

开始泼水了。周总理一手端着盛[chéng]满清水的银碗，一手拿着柏树枝蘸了水，向人们泼洒，为人们祝福。傣族人民一边欢呼，一边向周总理泼水，祝福他健康长寿。

清清的水，泼呀，洒呀！周总理和傣族人民笑哇，跳哇，是那么开心！

多么幸福哇，1961年的泼水节！

多么令人难忘啊，1961年的泼水节！

cǎi	duān	zhàn	shòu
踩	端	蘸	寿

彝族的火把节也很热闹，我讲给你们听。

我会认

凤　凰　恩　敲　襟　褂
咖　啡　踩　端　蘸　寿

我会写

龙			恩		寿	
柏			泼		特	
敬			鲜		脚	
度			凤	凰		

读一读　有感情地朗读课文。

我会填

好 〈 hǎo （　　　）
　　　 hào （　　　）

空 〈 kōng （　　　）
　　　 kòng （　　　）

乐 〈 lè （　　　）
　　 yuè （　　　）

盛 〈 shèng （　　　）
　　　 chéng （　　　）

12 北京亮起来了

　　每当夜幕降临，北京就亮起来了。整个北京城变成了灯的海洋，光的世界。

　　长安街华灯高照，川流不息的汽车，灯光闪烁，像银河从天而降。天安门城楼金碧辉煌，光彩夺目。广场四周，彩灯勾画出一幢幢高大建筑物的雄伟轮廓。

mù	lín	shuò	huī	huáng
幕	临	烁	辉	煌

duó	zhuàng	wěi	kuò
夺	幢	伟	廓

本文根据李莉娟作品改写。

环形路上，一座座立交桥犹如道道彩虹。街道上，照明灯、草坪灯、喷泉灯、礼花灯，装点着美丽的北京。

我知道"犹如"是什么意思。

焕然一新的王府井、西单商业街上，明亮的橱窗，绚丽多彩的广告，五光十色的霓

yóu	hóng	huàn
犹	虹	焕

fǔ	xuàn	ní
府	绚	霓

虹灯,把繁华的大街装扮成了比白天更美的
"不夜城"。

古老的故宫变得年轻了。一束束灯光
照着她,长长的城墙和美丽的角楼倒映在河
面上,银光闪闪,十分动人。

夜晚的北京,多么明亮,多么辉煌!

fán　　　　　bàn　　　　　gōng
繁　　　　　扮　　　　　宫

我会认

幕 临 烁 辉 煌 夺 幢 伟
犹 焕 府 绚 繁 扮 宫

我会写

束		勾		府	
单		夺		宫	
扮		雄	伟		
烁		辉	煌		

读读背背 有感情地朗读课文。背诵自己喜欢的部分。

读读记记

夜幕降临　　华灯高照　　金碧辉煌

灯光闪烁　　银光闪闪　　光彩夺目

绚丽多彩　　焕然一新　　从天而降

我知道

　　北京的公园可多啦，有颐(yí)和园、圆明园，还有天坛、北海、景山、香山……

　　北京的长城、故宫是世界闻名的古代建筑，人民大会堂(táng)、国家图书馆、中华世纪坛、首都国际机场是著名的现代建筑。北京天天都在变，越变越美丽！

语文园地三

照相　照相机　　　图书　图书馆

洒水　洒水车　　　电视　电视台

集邮　集邮册　　　飞机　飞机场

xiàng（照相机）
cè（集邮册）

我发现每组的两个词……

日积月累

读读认认

宽——窄
zhǎi

穷——富
qióng

贵——贱
jiàn

恶——善
è　　shàn

强——弱
qiáng

胜——败
bài

内——外
nèi

加——减
jiǎn

窄 穷 贱 恶 善 强 败 内 减

我会填

明亮的（　　　）　　绚丽多彩的（　　　）

繁华的（　　　）　　川流不息的（　　　）

茂密的（　　　）　　风光秀丽的（　　　）

我会读

敕　勒　歌
（chì　lè）

敕　勒　川，

阴　山　下。

天　似　穹　庐，
（sì　qióng　lú）

笼　盖　四　野。
（lǒng）

天　苍　苍，

野　茫　茫，
（máng）

风　吹　草　低　见　牛　羊。
（xiàn）

夸家乡

　　我们的家乡是个好地方。大家一起来夸夸家乡吧！可以夸夸家乡的迷人风光，可以夸夸家乡的丰富物产，也可以说说家乡的变化，还可以畅(chàng)想家乡的未来。再评一评谁说得好。

写一写

　　我们这儿的山很美。我写山上的美丽景色。

　　我们家乡出产的板栗很有名，我要写一写。

展示台

我们做个词语接龙的游戏吧！我先说:祖国——

我来接:国家——

这是我收集到的家乡过去和现在的照片。你看，咱们的家乡变化多大呀！

宽带网

我国是个多民族的国家，有汉(hàn)族、藏[zàng]族、回族、壮族、蒙[měng]古族等五十六个民族。我们查一查资(zī)料，就可以了解到一些民族的服饰(shì)和生活习惯。

我国有北京、上海、天津(jīn)、重[chóng]庆四个直辖(xiá)市，香港(gǎng)、澳(ào)门两个特别行政(zhèng)区，黑龙江、河北、广西、海南、台湾等二十八个省、自治区。我们在地图上找一找这些地方吧！

无论学习还是生活，都离不开动手和动脑。用斧(fǔ)头砍东西又慢又不整齐，于是人们发明了锯(jù)；用扇子扇[shān]风很费力气，于是人们发明了电风扇。每一种发现和发明，都是人们用心思考(kǎo)、不断实践(jiàn)获(huò)得的。让我们都来做个有心人，用自己的劳动和智(zhì)慧(huì)去发现，去创造吧！

13　动手做做看

　　法国科学家朗志万，有一次向几个小朋友提了一个奇怪的问题："一个杯子装满了水，再放进别的东西，水就会漫出来。如

lǎng	zhì	màn
朗	志	漫

果放进一条金鱼，却不是这样。这是为什么？"

　　一个小朋友说："因为金鱼身上有鳞。"

　　另一个小朋友说："一定是金鱼把水喝下去了。"

lín
鳞

伊琳娜觉得他们都没说对，但自己又想不出道理来。她回到家里问妈妈。妈妈说："不能光想，你动手做做看！"

伊琳娜找来一条金鱼，把它放进一个装满水的杯子里。哎呀，和朗志万说的不一样，水漫出来了。

伊琳娜越想越生气，第二天一早就去问朗志万："您怎么可以提这样的问题，来哄骗我们小朋友呢？"

朗志万听了，哈哈大笑。他说："我不是哄骗你们。我是想让你们知道，科学家的话，也不一定都是对的，要动手做做看。"伊琳娜听懂了朗志万的话，高兴地笑了。

yī　　　　lín　　　　nà
伊　　　　琳　　　　娜

āi　　　　hǒng　　　piàn
哎　　　　哄　　　　骗

朗　志　漫　鳞　伊
琳　娜　哎　哄　骗

我会写

朵		志		题	
提		漫		朗	
哄		喝		骗	

读一读　朗读课文。

说说写写

伊琳娜听了朗志万的话，可能会说……

我要把想到的话写下来。

14　邮票齿孔的故事

　　1840年，英国首次正式发行邮票。最早的邮票跟现在的不一样。每枚邮票的四周没有齿孔，许多枚邮票连在一起，使用的时候，得用小刀裁开。

　　1848年的一天，英国发明家阿切尔到伦敦一家小酒馆喝酒。在发明家的身旁，一

chǐ	méi	dāo	cái	lún	dūn	jiǔ
齿	枚	刀	裁	伦	敦	酒

　本文根据郑柱子作品改写。

位先生左手拿着一大张邮票，右手在身上翻着什么。看样子，他是在找裁邮票的小刀。那位先生摸遍身上所有的衣袋，也没有找到小刀，只好向阿切尔求助："先生，您带小刀了吗？"阿切尔摇摇头，说："对不起，我也没带。"

那个人想了想，从西服领带上取下一枚别针，在每枚邮票的连接处都刺上小孔，邮票便很容易地被撕开了，而且撕得很整齐。

阿切尔被那个人的举动吸引住了。他想：要是有一台机器能给邮票打孔，不是很好吗？阿切尔开始了研究工作。很快，邮票打孔机造出来了。用它打过孔的整张邮票，

zhēn
针

biàn
便

sī
撕

yán
研

jiū
究

63

很容易一枚枚地撕开，使用的时候非常方便。英国邮政部门立即采用了这种机器。直到现在，世界各地仍然在使用邮票打孔机。

zhèng　　　　　　réng
政　　　　　　仍

齿　枚　刀　裁　伦　敦　酒
便　撕　研　究　政　仍

刀		尔		求	
仍		使		便	
英		票		整	
式		而	且		

读读想想　默读课文。想想带齿孔的邮票是怎样发明的。

读读填填

一位 < 先生
（　　　）

一台 < 电扇
（　　　）

一张 < 邮票
（　　　）

一把 < 小刀
（　　　）

我知道

🎓 中国最早的邮票是1878年清政府发行的大龙邮票。

🎓 邮票上面印(yìn)着各种精美的图案，如，宋(sòng)庆龄像、大熊猫、北京申奥(ào)标(biāo)志，内容十分丰富。它可以用来纪念一些重要的人物和事件，被称为"微型(xíng)百科全书"。邮票很有收藏价(jià)值，很多人都喜欢集邮。

我们也去收集一些邮票吧！

15 画风

风,是怎么画出来的呢?

　　宋涛、陈丹、赵小艺在一起画画。他们在洁白的纸上画了房子、太阳、大树,陈丹还在树上画了几只小鸟。

　　宋涛说:"谁能画风?"

　　陈丹说:"风,看不见,摸不着,谁也画不出来。"

sòng	tāo	chén	dān	zhào	yì
宋	涛	陈	丹	赵	艺

本文根据方轶群作品改写。

赵小艺眨眨眼睛，想了想，说："我能！"
只见她在房子前面画了一根旗杆[gān]，旗子
在空中飘着。

宋涛说："是风，风把旗子吹得飘起来
了。"

陈丹说："我也会画风了。"说着，她在
大树旁边画了几棵弯弯的小树。

宋涛想了想，他把画上的太阳擦去，画
了几片乌云，又画了几条斜斜的雨丝，说：
"下雨了，风把雨丝吹斜了。"

赵小艺笑着说："我还能画！"她画了个
拿风车的小男孩，风车在呼呼地转。

三个小朋友正说着，画着，忽然吹来一
阵风，画中的景物好像都在动。一张张画显
得更美了。

我还有别的办法画风呢！

xiǎn
显

我会认

宋 涛 陈 丹 赵 艺 显

我会写

丹			乌			艺		
显			忽			丝		
杆			眨			涛		
陈			转			斜		

读一读　分角色有感情地朗读课文。

读读写写

张洁问："你想怎样画风？"

我说："＿＿＿＿＿＿＿＿＿＿＿＿＿＿

＿＿＿＿＿＿＿＿＿＿＿＿＿＿＿＿＿＿＿＿＿

＿＿＿＿＿＿＿＿＿＿＿＿＿＿＿＿＿＿。"

16 充气雨衣

　　下午放学的时候，随着一声春雷，下起了大雨。四年级的小林和同学们一起，顶着大雨往家走。小林的雨衣刚过膝盖，雨水顺

chōng 充
xī 膝

本文根据天水作品改写。

着雨衣的下摆流到裤腿上，被风一吹，冷极了。

晚上，小林躺在床上想：得把雨衣改一改，不能再让雨水流到裤腿上了。

怎样才能解决这个难题呢？小林一直在想啊想……

"六一"儿童节联欢会上，女同学表演舞蹈。随着优美的乐曲，小演员们旋转起来，五颜六色的裙子徐徐张开，就像一把把花伞。在小林的眼中，"花伞"渐渐模糊，变成了下摆张开的一件件雨衣。当天晚上，他用粗铁丝弯了一个大圆圈，把它缝[féng]在雨衣的下沿，新式雨衣就做成了。他还没来得及高兴，问题又来了：这样的雨衣怎么叠起来呢？

放暑假[jià]了，小林和同学去游泳。换

lián
联　　xuán
旋　　shǔ
暑　　yǒng
泳

好游泳裤，他拿出塑料救生圈开始吹气，叠起来的救生圈渐渐变成了圆环形的塑料气囊。小林眼睛一亮，心想：用能够充气的塑料环代替铁丝圈，不就能叠起来了吗？他没心思游泳了，换好衣服就往家跑。回到家里，小林剪下救生圈的气门儿，买了塑料膜，又请塑料加工店的叔叔帮忙压成一个气囊。气囊吹起来，和充了气的自行车内胎差

náng	jiǎn	mó	yā	tāi	chà
囊	剪	膜	压	胎	差

不多。爸爸帮着小林把气囊粘在雨衣的下摆里面。充气雨衣做好了。充起气来往身上一穿，嘿！别提多棒了！

在儿童用品展览会上，小林发明的充气雨衣受到大家的称赞。

zhān 粘　hēi 嘿　bàng 棒　pǐn 品

小林真了不起！

我们也动动脑筋，做个小制作，好吗？

我会认

充　膝　联　旋　暑　泳　囊
剪　膜　胎　差　粘　嘿　棒

读读想想　默读课文。想一想日常生活用品有哪些需要改进的地方。

语文园地四

我的发现

奶牛	牛奶		图画	画图
蜜蜂	蜂蜜		牙刷 *shuā*	刷牙
水池	池水		山上	上山

这些词语真有意思。每组两个词语的字相同，可是……

日积月累

读读认认

月	夫	*fū* 肤	（皮肤）
月	旦	*dǎn* 胆	（胆量）
女	生	*xìng* 姓	（姓名）
厂	则	*cè* 厕	（厕所）

比	十	*bì* 毕	（毕业）
父	斤	*fǔ* 斧	（斧头）
加	马	*jià* 驾	（驾驶）
敬	言	*jǐng* 警	（警察）

肤　胆　姓　厕　毕　斧　驾　警

我会填

发明　　发现

　　小林(　　)的充气雨衣受到大家的称赞。
　　伊琳娜(　　)金鱼放到装满水的杯子里，水会漫出来。

优美　　美丽

　　孔雀的尾巴真(　　)!
　　随着(　　)的乐曲，小演员们旋转起来。

我会读

鲁班造伞

　　鲁班是我国古代的能工巧匠(jiàng)，他有许多发明创造。传说伞就是他发明的。

　　很久以前没有伞，鲁班一心想造一样东西，既(jì)能挡(dǎng)风雨，又能遮太阳。

　　一天,鲁班看见几个孩子在烈日下顶着荷叶玩。他就照着荷叶的样子做了起来。他先用竹条扎好架子，再蒙上羊皮……鲁班的妻(qī)子看见了，高兴地说:"要是能把它收起来就更好了。"鲁班冥(míng)思苦想,做了许多次,终于造出了能开能收的伞。

我们的小制作

橡(xiàng)皮泥可以捏(niē)出一个猪八戒(jiè)，纸片可以叠成一只天鹅，布头可以粘成一幅(fú)贴画，用过的塑料瓶可以做成机器人……只要找到合适的材料，再认真地想一想，动手做一做，就一定能做成可爱的小制作。

在班上展示自己的小制作，说一说自己是怎样做的。再评一评，谁的手巧，谁说得清楚(chǔ)、明白。

展示台

这是我收集的邮票，上面画了一辆汽车。

我收集了一些名言，读给你们听听。

日月星辰(chén)，风云雷电，山川树木，花鸟虫鱼……大自然是一幅(fú)多姿(zī)多彩的画卷，是一本读不完的"书"。走进大自然，你一定会得到许多乐趣，发现许多秘(mì)密。

17 古诗两首

望庐山瀑布

李 白

日照香炉生紫烟，
遥看瀑布挂前川。
飞流直下三千尺，
疑是银河落九天。

lú　　　pù　　　lú　　　yí
庐　　　瀑　　　炉　　　疑

绝 句

杜 甫

两个黄鹂鸣翠柳，
一行白鹭上青天。
窗含西岭千秋雪，
门泊东吴万里船。

lù　hán　lǐng　bó　wú
鹭　含　岭　泊　吴

78

庐 瀑 炉 疑 鹭 含 岭 泊 吴

我会写

吴			含			窗		
炉			岭			鸣		
绝			银			烟		
泊			流			柳		

读读背背　朗读课文。背诵课文。

我会填　_____，疑是银河落九天。

窗含西岭_____，门泊东吴_____。

我给大家背一首自己学的古诗。

18 雷 雨

　　满天的乌云，黑沉沉地压下来。树上的叶子一动不动，蝉一声也不叫。

　　忽然一阵大风，吹得树枝乱摆。一只蜘蛛从网上垂下来，逃走了。

　　闪电越来越亮，雷声越来越响。

　　哗，哗，哗，雨下起来了。

yā
压

luàn
乱

chuí
垂

雨越下越大。往窗外望去，树哇，房子啊，都看不清了。

渐渐地，渐渐地，雷声小了，雨声也小了。

天亮起来了。打开窗户，清新的空气迎面扑来。

雨停了。太阳出来了。一条彩虹挂在天空。蝉叫了。蜘蛛又坐在网上。池塘里水满了，青蛙也叫起来了。

hóng
虹

我会认

压　乱　垂　虹

我会写

垂			乱			沉	
压			逃			越	
阵			彩	虹			
蝉			蜘	蛛			

读读想想 默读课文。一边读一边想象雷雨前、雷雨中和雷雨后的景象。

带点的词用得多好哇!

读读抄抄 一条彩虹挂在天空。

_____

蜘蛛从网上垂下来,逃走了。

_____

蜘蛛又坐在网上结网了。

_____

写一写

我要留心观察天气的变化,把它写在日记里。

19 最大的"书"

书，为什么
要加引号呢？

一天，爸爸带川川去爬山。爬到半山腰，他们看见一位地质勘探队员，正趴在一块大石头上看着什么。川川走过去，奇怪地问："叔叔，您在看什么？"

zhì
质

kān
勘

本文根据远舟作品改写。

"我在看'书'呢！"

"哪里有书啊？"

"岩石就是书啊！你看，这岩石一层一层的，不就像一册厚厚的书吗？"

真没想到！

川川认真地问："这上面有字吗？"

"有。你来看，这是雨点留下的脚印，叫雨痕；这是波浪的足迹，叫波痕；还有这些闪光的、透明的，是矿物。它们都是字呀！"

川川又问："这上面有图画吗？"

叔叔说："有。你看，这儿有树叶，有贝壳，那儿还有一条小鱼哩！"

"这能说明什么呢？"

"它告诉我们，在很久很久以前，这里是一片长满树木的陆地。后来，陆地沉下去了，这里就变成了大海。又过了很多很多万

yán	cè	hòu	yìn	hén
岩	册	厚	印	痕

年，海底慢慢上升，这里又变成了高山，就是我们脚下的这座山。"

"读了这本岩石书有什么用呢？"川川总爱刨根问底。

叔叔说："用处可大哩！它能告诉我们，哪里埋着煤炭，哪里藏着铁矿……把这本'书'读懂，就能为祖国找到更多的宝藏[zàng]！"

"太好了，太好了！"川川高兴地说，"等我长大了，也要读懂这本最大的'书'！"

你能猜出川川长大以后想干什么吗？

pláo	méi	bǎo
刨	煤	宝

我会认

质　勘　岩　册　厚
印　痕　刨　煤　宝

册		岩		宝	
趴		印		刨	
埋		陆		铁	
质		厚		底	

 朗读课文，读好人物的对话。

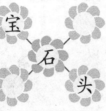 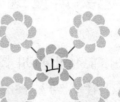 

有些动物和植物，由于特殊(shū)的地壳[qiào]运动被埋起来，死后就不会腐(fǔ)烂了。很多年以后，这些动植物就成了化石。

人们根据(jù)找到的化石，可以知道古代动植物的情况(kuàng)。恐(kǒng)龙就是这样的例(lì)子，科学家在我国的很多地方发现了恐龙的化石。我国第一具(jù)恐龙化石的骨[gǔ]架是在云南省出土的。

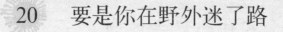

20　要是你在野外迷了路

要是你在野外迷了路，
可千万别慌张，
大自然有很多天然的指南针，
会帮助你辨别方向。

太阳是个忠实的向导，
它在天空给你指点方向：
中午的时候它在南边，
地上的树影正指着北方。

北极星是盏指路灯，
它永远高挂在北方。

zhēn
针

zhōng
忠

zhǎn
盏

要是你能认出它，
就不会在黑夜里乱闯。

要是碰上阴雨天，
大树也会来帮忙。
枝叶稠的一面是南方，
枝叶稀的一面是北方。

雪特别怕太阳，
沟渠里的积雪会给你指点方向。
看看哪边的雪化得快，哪边化得慢，
就可以分辨北方和南方。

要是你在野外迷了路，
可千万别慌张，
大自然有很多天然的指南针，
需要你细细观察，多多去想。

chóu
稠

雪化得快的那
边是南面还是北面？
这是为什么呢？

我会认

针 忠 盏 稠

我会写

忠			导			盏		
积			稠			稀		
针			碰			慌		

读读背背　朗读课文。背诵课文。

读读写写

特别　　分别　　别处　　_____

指挥　　手指　　指南针　　_____

方向　　地方　　千方百计　　_____

我还知道一些
辨别方向的方法呢!

快说给我们听听吧!

语文园地五

哦！标点不一样，句子的意思就……

这书上有字。
这书上有字？

你的玫瑰没有白栽！
你的玫瑰没有白栽？

日积月累

读读认认

材——财（财产） | 伴——拌（搅拌）

拦——栏（栏杆） | 膀——榜（榜样）

蚪——抖（抖动） | 慢——馒（馒头）

猴——喉（喉咙） | 祖——租（房租）

财 栏 抖 喉 咙 拌 搅 榜 馒 租

我会连

打开	方向		茂密的	乌云
辨别	宝藏		满天的	空气
寻找	窗户		清新的	枝叶

读读背背

节 气 歌

春 雨 惊 春 清 谷 天，

夏 满 芒(máng) 夏 暑 相 连，

秋 处 露 秋 寒 霜 降，

冬 雪 雪 冬 小 大 寒 。

我知道"暑相连"是指
"小暑"过后是"大暑"。

你能说出"秋处露
秋"是指哪四个节气吗？

"节气歌"说的是
下面二十四个节气。

		zhé			
立春	雨水	惊蛰	春分	清明	谷雨
立夏	小满	芒种	夏至	小暑	大暑
立秋	处暑	白露	秋分	寒露	霜降
立冬	小雪	大雪	冬至	小寒	大寒

口语交际

奇妙的动物世界

鹦(yīng)鹉(wǔ)能学人说话，大象能帮人搬运东西，经过训(xùn)练的狗，能为盲(máng)人领路。响尾蛇的尾巴能发出喀(kā)啦喀啦的声音，萤(yíng)火虫的尾巴能发出微弱的亮光……

动物世界真奇妙！你身边有哪些动物，你了解它们的生活习性(xìng)吗？你和这些动物之间发生过哪些有趣的事？说出来，跟同学交流交流。

把自己熟悉的一种动物写一写。可以描(miáo)写它可爱的样子，可以写写它有趣的生活习性(xìng)，也可以把自己和这个动物之间发生的趣事写下来。然后把写的内容跟同学交流交流，听听同学的意见。

展示台

我收集了一条气象谚语："朝霞不出门，晚霞行千里。"

我在一本书上看到，海底也有雄伟的高山……

这是我收集的标本。

有些植物能把动物当做美食。猪笼草就是一种食虫植物。它叶子的顶部长得像瓶子，上面还有一个小片，像掀开的盖子，盖子的边上有蜜，虫子飞到盖子上吃蜜，一下子就滑(huá)进"瓶子"里，不一会儿就化了。

地球上有的地方水温很高，那里的鱼适应了在热水中生活，有的鱼甚至能忍受60摄(shè)氏(shì)度的高温。它们要是在平常的水里，反而会"冻僵(jiāng)"，只有回到热水中，才会慢慢地苏醒过来。

大自然真奇妙啊！看书看电视的时候，我们要留心大自然的奇异(yì)现象。

从古到今，有许多品(pǐn)质优秀的人。有的人十分谦虚，有的人勇于承(chéng)认自己的错误(wù)，有的人孝(xiào)敬父母、关爱他人……我们要向他们学习，做品质优秀的好少年。

21 画家和牧童

唐朝有一位著名的画家叫戴嵩。他的画一挂出来，就有许多人观赏。看画的人没有不点头称赞的，有钱的人还争着花大价钱购买。

传说有一次戴嵩的好朋友请他作画。画什么呢？戴嵩沉思片刻，决定画一幅《斗[dòu]牛图》。他一会儿浓墨涂抹，一会儿轻笔细描，

dài	sōng	jià	gòu
戴	嵩	价	购

fú	mò	mǒ	miáo
幅	墨	抹	描

本文根据杨学良作品改写。

很快就画成了。围观的人看了，纷纷夸赞。

"画得太像了，画得太像了，这真是绝妙之作！"一位商人称赞道。

"画活了，画活了，只有神笔才能画出这样的画！"一位教书先生赞扬道。

"画错啦，画错啦！"一个牧童挤进来喊着。这声音好像炸雷一样，大家一下子都呆

住了。这时，戴嵩把牧童叫到面前，和蔼地说："小兄弟，我很愿意听到你的批评，请你说说什么地方画错啦？"牧童指着画上的牛，说："这牛尾巴画错了。两牛相斗的时候，全身的力气都用在角上，尾巴是夹在后腿中间的。您画的牛尾巴是翘起来的，那是牛用尾巴驱赶牛蝇的样子。您没见过两牛相斗的情形吧？"

戴嵩听了，感到非常惭愧。他连连拱手，说："多谢你的指教。"

大画家戴嵩多虚心哪！

牧童敢向大画家提出意见，也很了不起。

ǎi	pī	qiào	qū
蔼	批	翘	驱

yíng	cán	kuì	gǒng
蝇	惭	愧	拱

戴　价　购　墨　抹　蔼　批
翘　驱　蝇　惭　愧　拱

兄			呆			商	
抹			挤			拱	
决			价	钱			
购			批	评			

读一读　朗读课文。

读读写写

他的画一挂出来，就有许多人观赏。

_____ 一 _____，就 _____。

他一会儿浓墨涂抹，一会儿轻笔细描，很快就画成了。

_____ 一会儿 _____，一会儿 _____。

我知道

我知道戴嵩特别喜欢画牛，他画的牛跟真的一样。《三牛图》《归牧图》这两幅名画，就是戴嵩画的。

在我国现代画家中，不少人以画动物而闻名，如，齐白石画虾，徐悲(bēi)鸿(hóng)画马，李苦禅(chán)画鹰……他们画的动物栩(xǔ)栩如生，人们特别喜爱。

22 我为你骄傲

　　一个风和日丽的下午,我和小伙伴躲在一位老奶奶家的后院里,把一块块小石头扔上她家的房顶。我们看着石头像子弹一样射出,又像流星一样从天而降,觉得很开心,很有趣。

　　我拾起一块光滑的小石头,把它扔了出去。一不小心,石头砸在了老奶奶家的后窗

huá
滑

本文根据李荷卿译写的作品改写。

户上。我们听到玻璃破碎的声音，就像兔子一样飞快地逃走了。

那天晚上，我一想到老奶奶家被打碎的玻璃就害怕，担心她知道是我干的。这以后，我还是和往常一样，每天给她送报纸。她也和往常一样，微笑着跟我打招呼，我却觉得很不自在。

我决定把送报纸的钱攒起来，给她修理

bō 玻　　lí 璃　　suì 碎　　zǎn 攒

窗户。三个星期过去了，我已经攒了7美元。这些钱足够用来修理窗户了。我把钱和一张便条装进信封，在便条上向老奶奶说明了事情的经过，并真诚地向她道歉。

一直等到天黑，我才悄悄地来到老奶奶家门前，把信封投到她家的信箱里。我心里顿时感到一阵轻松。

第二天，我去给老奶奶送报纸。她微笑着接过报纸，说："我有点儿东西给你。"原来是一袋饼干。我谢过她，然后一边吃着饼干，一边继续送报纸。

当饼干快要吃完的时候，我发现袋子里有一个信封。打开信封一看，里面是7美元和一张便条，便条上写着：我为你骄傲。

老奶奶为什么要写"我为你骄傲"呢？

fēng	qiàn	xiāng	dùn
封	歉	箱	顿

滑 玻 璃 碎 攒 封 歉 箱 顿

报			玻	璃			
拾			破	碎			
滑			继	续			
封			骄	傲			

读读说说　朗读课文。说说在生活中你有没有遇到过类似的事。

读读抄抄

伙伴	报纸	信封	便条
事情	害怕	轻松	微笑

23　三个儿子

三个妈妈在井边打水，一位老爷爷坐在旁边的石头上休息。

一个妈妈说：“我的儿子既聪明又有力气，谁也比不过他。”

又一个妈妈说：“我的儿子唱起歌来好听极了，谁都没有他那样的好嗓子。”

另一个妈妈什么也没说。

那两个妈妈问她：“你怎么不说说你的儿子呀？”

这个妈妈说：“有什么可说的，他没有什么特别的地方。”

三个妈妈打了水，拎着水桶回家去，老爷爷跟在她们后边慢慢地走着。

jì	sǎng	līn	tǒng
既	嗓	拎	桶

　本文根据符·奥谢耶娃作品改写。

一桶水可重啦！水直晃荡，三个妈妈走走停停，胳膊都痛了，腰也酸了。

这时，迎面跑来三个孩子。一个孩子翻着跟头，像车轮在转，真好看！三个妈妈被他迷住了。

huàng
晃

105

一个孩子唱着歌，歌声真好听。

另一个孩子跑到妈妈跟前，接过妈妈手里沉甸甸的水桶，提着走了。

一个妈妈问老爷爷："看见了吗？这就是我们的三个儿子。怎么样啊？"

"三个儿子？"老爷爷说，"不对吧，我可只看见一个儿子。"

老爷爷为什么说他只看见一个儿子？

diàn
甸

既 嗓 拎 桶 晃 甸

我会写

拎		桶		停	
聪		胳	膊		
甸		晃	荡		

读读演演 分角色朗读课文，再演一演。

读读说说

一个孩子翻着跟头，像车轮在转，真好看！一个孩子唱着歌，歌声真好听。另一个孩子跑到妈妈跟前，接过妈妈手里沉甸甸的水桶，提着走了。

一个（只）_____。

一个（只）_____。另一个（只）_____。

24　玩具柜台前的孩子

　　"六一"儿童节快到了，商场里的玩具柜台前挤满了人，都是父母带着孩子来买玩具的。柜台前有个小男孩，只要看到谁买小汽车，他就马上跟过去，目不转睛地盯着柜台上跑动的汽车，眼里闪着兴奋的光芒。他是多么喜欢小汽车啊！

jù　　　　　guì　　　　　máng
具　　　　　柜　　　　　芒

　本文根据李天同作品改写。

售货员阿姨问他："谁带你来的？"

"妈妈。"

阿姨看他身边并没有大人，又问："你妈妈在哪儿？"

"在那儿！"孩子用手指向药品柜台。

"妈妈在买药，让你在这儿等她，是吗？"

男孩点点头，又专心地看起小汽车来。

过了一会儿，男孩的妈妈来了，说："小兵，咱们回家吧！"

阿姨忍不住对他妈妈说："孩子在这儿站半天了，您就给他买辆小汽车吧！"

"不，我只看看，不要妈妈买。"男孩抢着说。

shòu	huò	yào	pǐn
售	货	药	品

bīng	zán	qiǎng
兵	咱	抢

孩子的妈妈叹了口气，说："他爸爸常年病着，家里生活不富裕。孩子心疼我，什么也不让我给他买……"

　　听着听着，售货员阿姨的眼圈红了，说："多懂事的孩子呀！这样吧，我买辆小汽车，送给他作节日礼物。"

　　"不，谢谢，我不要。"男孩拉着妈妈的手，走出了商场。

yù
裕

回到家里，售货员阿姨对自己的女儿说起这件事。女儿听了，连忙从玩具里找出一辆漂亮的小汽车，请妈妈带给那个男孩。

　　售货员阿姨天天盼着再见到那个男孩，好把小汽车送给他。

我会认

具　柜　芒　售　货　药
品　兵　咱　抢　裕

读读说说　默读课文。说说读了课文你想到了什么。

语文园地六

我发现每个词语……

大大小小　　多多少少
深深浅浅　　高高低低
长长短短　　粗粗细细

日积月累

读读认认

	qié	gū		dùn		kǎo
萝	茄	菇		炖	烧	烤
bā	káng	jiǎn		duò		
扒	扛	拣		跺	踢	跳

茄子　　香菇　　炖肉　　烤鸭

扒开　　扛枪　　挑拣　　跺脚

茄 菇 炖 烤 扒 扛 拣 跺

我会填

观（参观） 场（　　） 轻（　　） 读（　　）

现（　　） 扬（　　） 经（　　） 续（　　）

我会读　　　　一个石头小姑娘

我想，你一定
也知道疼痛，
当夜深人静的时候，
一定有人听到过你的哭声。

你虽然是一个石头小姑娘，
但你也有一个美丽的生命。

你那样天真，有一双
白白的、胖胖的小脚丫(yā)；
为什么小脚丫被人砸坏了？
我老是想不通。

本诗作者金波。

113

你虽然是一个石头小姑娘，
但你也是我们城市的公民。

每当我看到你伤残的脚，
我就失去了笑容。
在你面前，我再也跳不起来，
我的小脚丫也感到了疼痛。

你虽然是一个石头小姑娘，
但你的心早已和我们相通。

口语交际

大家都来帮帮他

有一次，小华在校门口值日，同班同学小龙迟到了。小华心想：要是把小龙的名字记下来，自己班级就不能得到纪律(lǜ)红旗，同学们还会责怪自己；要是不记，就没有尽到责任。这可怎么办？

大家都来帮小华想一想，讨(tǎo)论一下，他应该怎样做，为什么？

展示台

我知道公民道德修养的基本要求是：爱国守法、明礼诚信、团结友善、勤俭自强、敬业奉献。

这是我们小队办的迎"六一"的墙报。

生活中有些事真有意思！要是肯动脑筋(jīn)，坏事往往能变成好事；要是肯动脑筋，看来不可能办成的事也能办成。碰到问题，我们要认真想想，找到解决问题的办法，做个善于思考(kǎo)的好孩子。

25 玲玲的画

玲玲满意地端详着自己画的《我家的一角》。这幅画明天就要参加评奖了。

"玲玲，时间不早了，快去睡吧！"爸爸又在催她了。

"好的，我把画笔收拾一下就去睡。"

就在这时候，水彩笔叭的一下掉到了纸上，把画弄脏了，玲玲哇地哭了起来。

líng	xiáng	fú	jiǎng	cuī	bā	zāng
玲	详	幅	奖	催	叭	脏

"怎么了，孩子？"爸爸放下报纸问。

"我的画脏了，另画一张也来不及了。"

爸爸仔细地看了看，说："别哭，孩子。在这儿画点儿什么，不是很好吗？"

玲玲想了想，拿起笔，在弄脏的地方画了一只小花狗。小花狗懒洋洋地趴在楼梯上。玲玲满意地笑了。

爸爸看了，高兴地说："看到了吧，孩子。好多事情并不像我们想象的那么糟。只要肯动脑筋，坏事往往能变成好事。"

在第二天的评奖会上，玲玲的画得了一等奖。

jīn
筋

玲 详 幅 奖 催 叭 脏 筋

叭			玲			狗		
糟			楼	梯				
肯			脑	筋				

读一读 朗读课文。

读读抄抄 好多事情并不像我们想象的那么糟。

只要肯动脑筋，坏事往往能变成好事。

_____

_____

这样的事我也遇到过……

1922年，列宁住在莫斯科附近的一座小山上。当地有个养蜂的人，列宁常常派人去请他来谈天。

有一回，列宁想找那个人谈谈怎样养蜂。可是往常派去找他的人到莫斯科去了，别人都不知道他住在哪里，列宁就亲自去找。

列宁一边走一边看，发现路边的花丛里有许多蜜蜂。他仔细观察，只见那些蜜蜂采了蜜就飞进附近的一个园子里，园子旁边有一所小房子。列宁走到那所房子跟前，敲了敲门，开门的果然就是那个养蜂的人。

养蜂的人看见列宁，惊讶地说："您好，列宁同志，是谁把您领到这儿来的？"列宁笑着说："我有向导，是您的蜜蜂把我领到这儿来的。"

mò	sī	fù	pài	tán	yà
莫	斯	附	派	谈	讶

莫 斯 附 派 谈 讶

讶			谈		派	
引			列		蜂	
敲			附	近		

朗读课文。

两个带点的词意思一样吗？

列宁常常请养蜂的人来谈天。

往常派去找他的人不在，列宁只好亲自去找。

我能画出列宁找养蜂人的路线图。

27 寓言两则

揠苗助长

古时候有个人，他巴望自己田里的禾苗长得快些，天天到田边去看。可是一天，两天，三天，禾苗好像一点儿也没有长高。他在田边焦急地转来转去，自言自语地说："我得想个办法帮它们长。"

一天，他终于想出了办法，就急忙跑到

寓 _{yù}　揠 _{yà}　焦 _{jiāo}

田里，把禾苗一棵一棵往高里拔，从中午一直忙到太阳落山，弄得筋疲力尽。

他回到家里，一边喘气一边说："今天可把我累坏了！力气总算没白费，禾苗都长高了一大截。"

他的儿子不明白是怎么回事，第二天跑到田里一看，禾苗都枯死了。

守株待兔

古时候有个种田人，一天，他在田里干活，忽然看见一只野兔从树林里窜出来。不知怎么的，它一头撞在田边的树桩上，死了。

种田人急忙跑过去，没花一点儿力气，白捡了一只又肥又大的野兔。他乐滋滋地走

chuǎn 喘　　jié 截　　shǒu 守

cuàn 窜　　zhuàng 撞　　zhuāng 桩

回家去，心里想：要是每天能捡到一只野兔，那该多好啊。

　　从此他丢下了锄头，整天坐在树桩旁边等着，看有没有野兔再跑来撞死在树桩上。日子一天一天过去了，再也没有野兔来过，他的田里已经长满了野草，庄稼全完了。

我想对种田的人说……

cǐ
此

chú
锄

我会认

寓　焦　喘　截　守
窜　撞　桩　此　锄

我会写

守			丢			焦		
费			望			算		
此			桩			肥		

读读说说　默读课文。把课文中的故事讲给爸爸妈妈听。

读读想想

去掉带点的词，句子的意思和原来一样吗？

禾苗好像一点儿也没有长高。

他在田边焦急地转来转去。

种田人丢下锄头，整天坐在树桩旁边等着。

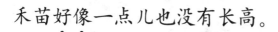

28 丑 小 鸭

太阳暖烘烘的。鸭妈妈卧在草堆里，等她的孩子出世。

一只只小鸭子都从蛋壳里钻出来了，就剩下一个特别大的蛋。过了好几天，这个蛋才慢慢裂开，钻出一只又大又丑的鸭子。他的毛灰灰的，嘴巴大大的，身子瘦瘦的，大家都叫他"丑小鸭"。

hōng
烘

wò
卧

shèng
剩

liè
裂

本文根据安徒生作品改写。

丑小鸭来到世界上，除了鸭妈妈，谁都欺负他。哥哥、姐姐咬他，公鸡啄他，连养鸭的小姑娘也讨厌他。丑小鸭感到非常孤单，就钻出篱笆，离开了家。

　　丑小鸭来到树林里，小鸟讥笑他，猎狗追赶他。他白天只好躲起来，到了晚上才敢出来找吃的。

　　秋天到了，树叶黄了，丑小鸭来到湖边的芦苇里，悄悄地过日子。一天傍晚，一群

qī	fù	tǎo	yàn
欺	负	讨	厌

gū	bā	jī	wěi
孤	笆	讥	苇

天鹅从空中飞过。丑小鸭望着洁白美丽的天鹅，又惊奇又羡慕。

天越来越冷，湖面结了厚厚的冰。丑小鸭趴在冰上冻僵了。幸亏一位农夫看见了，把他带回家。

一天，丑小鸭出来散步，看见丁香开花了，知道春天来了。他扑扑翅膀，向湖边飞去，忽然看见镜子似的湖面上，映出一个漂亮的影子，雪白的羽毛，长长的脖子，美丽极了。这难道是自己的影子？啊，原来我不是丑小鸭，是一只漂亮的天鹅呀！

jiāng
僵

kuī
亏

丑小鸭这时候会想些什么呢？

烘 卧 剩 裂 欺 负 讨
厌 孤 笆 讥 苇 僵 亏

灰			讨	厌			
冰			蛋	壳			
鸭			欺	负			
鹅			翅	膀			

有感情地朗读课文。

雪白的羽毛　　嘴巴大大的
漂亮的影子　　身子瘦瘦的

_____　　_____

_____　　_____

安徒生是一百多年前的丹麦(mài)人，他是世界著名的童话作家。

《卖火柴的小女孩》《皇(huáng)帝(dì)的新装》和《海的女儿》都是他写的。

语文园地七

丹丹回头一看，原来是小艺。

我的朋友马玲是回族人，陈琳是满族人。

有一回，列宁去找养蜂的人聊天。

三个句子中的"回"字，意思……

日积月累

读读认认

zào	lǔ guō	lòu sháo	chǎn
炉灶	铝锅	漏勺	铁铲

hú	tāng	dié	
茶壶	汤盆	菜碟	饭碗

灶 铝 锅 漏 勺 铲 壶 汤 碟

同心协力　　众志成城　　万众一心　　战无不胜

勤学好问　　好学不倦　　博采众长　　多多益善

贪小失大　　舍本逐末　　轻重倒置　　小题大做

口语交际

　　仔细看一看上面的图画，讨论讨论，图上的小朋友会怎么做。然后，编(biān)成一个完整的故事。

先在小组(zǔ)里讲讲自己编的故事，再选出讲得好的同学，在全班参加比赛。最后，评出故事大王。

画一幅或几幅画，然后再把画上的内容写下来。

展 示 台

日		月	异^{yì}
举		无	双
遵^{zūn}		守	法

自		欣	赏
无		为	力
言		不	一

这是我设计的填字游戏！让我们一起来填，好吗？

我这儿有好多谜语，大家来猜一猜吧！

在我们身边处处有科学：夏天下雨，冬天下雪，这是为什么呢？在炎(yán)热的天气中，刚从冰箱里拿出来的雪糕，会冒出白气，这是怎么回事？让我们去观察，去思考(kǎo)，去发现身边的科学吧！

29 数星星的孩子

晚上，满天的星星像无数[shù]珍珠撒在碧玉盘里。一个孩子坐在院子里，靠着奶奶，仰起头，指着天空数星星。一颗，两颗，一直数到了几百颗。

奶奶笑着说："傻孩子，又在数星星了。那么多星星，一闪一闪地乱动，眼都看花了，你能数得清吗？"

sǎ	yù	yǎng	shǎ
撒	玉	仰	傻

孩子说："奶奶，能看得见，就能数得清。星星是在动，可不是乱动。您看，这颗星和那颗星，中间总是隔那么远。"

爷爷走过来，说："孩子，你看得很仔细。天上的星星是在动，可是看起来它们之间的距离好像是不变的。我们的祖先把它们分成一组一组的，还给起了名字。"爷爷停了停，指着北边的天空，说："你看，那七颗

jù
距

zǔ
组

星，连起来像一把勺子，叫北斗七星。勺口对着的那颗星，就是北极星。北斗七星总是绕着北极星转。"爷爷说的话是真的吗？这孩子一夜没睡好，几次起来看星星。他看清楚了，北斗七星果然绕着北极星慢慢地转动。

这个数星星的孩子名叫张衡，是汉朝人。他长大以后刻苦钻研天文，成了著名的天文学家。

chǔ
楚

héng
衡

hàn
汉

今天晚上，我就去观察北斗七星和北极星。

我会认

撒 玉 仰 傻 距 组 楚 衡 汉

我会写

勺			斗			玉		
组			珍	珠				
数			钻	研				
睡			距	离				

读一读 分角色有感情地朗读课文。

我会填

满天的(   )像(   )撒在碧玉盘里。

那七颗星，连起来像(   )，叫(   )。

北斗七星(   )绕着(   )慢慢地(   )。

我知道

🎓 张衡发明的地动仪(yí)，是世界上第一台测(cè)定地震(zhèn)方向的仪器。

🎓 张衡的文章(zhāng)写得也很好，他还是个杰(jié)出的文学家呢！

30　爱迪生救妈妈

　　爱迪生是一位伟大的发明家，他从小就爱动脑筋，常常想出一些好主意。有一次，他靠自己的聪明救了妈妈的命。

　　那一年，爱迪生刚满七岁。一天，妈妈突然肚子痛，疼得在床上直打滚。爸爸急忙骑马到几十里外去请医生。太阳快落山的时候，医生终于来了。一检查，原来妈妈得的是急性阑尾炎，需要马上做手术。上医院已经来不及了，医生决定在家里做手术。

　　医生环顾四周，迟疑了片刻，说："房间里光线太暗，没法做手术。"爸爸说："那就多点几盏油灯。"医生还是摇头，连连说不行。大家急得团团转。

　　突然，爱迪生一溜烟似的奔出大门。不一会儿，他回来了，捧着一面明晃[huǎng]晃

dí	jiǎn	xìng	lán	yán	liù
迪	检	性	阑	炎	溜

的大镜子，身后还跟着好几个小男孩，每个人都捧着一面大镜子。爸爸一见又急又气，斥责道："什么时候了，还胡闹！"爱迪生委屈地说："我没胡闹，我想出办法了。不信您瞧！"爱迪生让小伙伴们站在点燃的油灯旁边，由于镜子把光聚在一起，病床上一下子亮堂起来了。爸爸恍然大悟，医生也露出了满意的笑容。

我知道"恍然大悟"是什么意思。

chì　　qū　　táng　　huǎng　　wù
斥　　屈　　堂　　恍　　悟

手术做得很成功，妈妈得救了。医生夸奖爱迪生，说："今天多亏了这个小家伙，他真是个聪明的孩子！"

我会认

迪　检　性　阑　炎　溜
斥　屈　堂　恍　悟

我会写

油			检	查				
团			斥	责				
炎			夸	奖				

读一读　有感情地朗读课文。

我会填　上医院已经来不(jí)了，爸爸很着(jí)。

爱迪生长大以后，为电灯的发明(zuò)了很多工(zuò)。

31　恐龙的灭绝

　　我们人类只有三四百万年的历史，恐龙却在地球上生活了大约两亿年。人类的历史与恐龙的历史相比，可就短多了。但是，庞大的恐龙为什么会消失了呢？

　　一种说法是，有一段时间，地球上突然变得十分寒冷。恐龙没有冬眠的习惯，它们

kǒng　　lèi　　páng　　duàn
恐　　类　　庞　　段

本文根据沈晨光作品改写。

不能像蛇和乌龟那样，借冬眠来躲避寒冷。加上恐龙身上没有皮毛来保暖，它们耐不住严寒，就慢慢地消失了。

另一种说法是，宇宙行星撞上了地球，尘埃把太阳遮住了，地球上一片黑暗。因为没有阳光照射，植物大量枯萎、死亡，那些以植物为食物的恐龙和其他动物，渐渐地死去了。随着动物的减少，食肉的恐龙找不到足够的食物，也渐渐地灭绝了。

bì 避　　nài 耐　　āi 埃　　wěi 萎　　wáng 亡

还有其他的种种说法，比如：地球上的哺乳动物越来越多，它们经常偷吃恐龙蛋，使恐龙渐渐灭绝；突然流行的传染病，使恐龙全部死亡；全球气温下降，使恐龙蛋只能孵出雄性的小恐龙……

　　这些说法都有一定的道理，但又不能让人完全信服。所以恐龙灭绝这个谜，至今还没能解开。今天的人类只能在博物馆或者从电影和书籍中，来想象恐龙往日的辉煌了。

长大了，我想研究恐龙灭绝的原因。

bǔ 哺	rǔ 乳	tōu 偷	fū 孵
mí 谜	huò 或	zhě 者	jí 籍

我会认

恐 类 庞 避 耐 萎 亡 哺
乳 偷 孵 谜 或 者 籍

我会写

亡			肉			耐		
谜			传	染				
类			严	寒				

读一读   朗读课文。

读读抄抄

人 类   历 史   地 球   气 温   寒 冷

_____ _____ _____ _____ _____

时 间   道 理   生 活   植 物   灭 绝

_____ _____ _____ _____ _____

32 阿德的梦

阿德早早地起了床。今天上午10点，他要乘坐21世纪最新的载人飞船，到火星上去旅游，并顺便去月球看望移居到那里的亲人。

离飞船起飞的时间还有半个小时，怎么打发这段时光呢？阿德拨通了可视电话，要跟月球上的外婆聊聊天。

dé   德   duàn   段   pó   婆

外婆出现在电话的屏幕上。"外婆，您好！两个小时以后就能见到您了。""这么快呀！""当然喽！我这次坐的飞船是新型的。"

"外婆，听说月球上的科研人员已研制出了无污染的太阳能汽车，市场上有卖的吗？"

"噢！大商场里都有！"

píng	lou	xíng	wū	ō
屏	喽	型	污	噢

阿德打开掌上电脑，进入月球最大的网上销售中心。"我要预订这辆太阳能汽车，下午两点来取……"

"亲爱的旅客，飞船就要起飞了，请系好安全带。""呜——"飞船长鸣一声飞向太空。这时，阿德的安全带还没系好，他从椅子上滑了下来！

xiāo	yù	dìng	jì	wū
销	预	订	系	呜

　　"哎呀！"阿德大叫一声。睁开眼一看，原来是一场梦。

我会认

　　德　段　婆　屏　喽　型
　　污　销　预　订　系　呜

读读说说

　　默读课文。说说你心中的未来世界是什么样的。

语文园地八

那么多星星，你怎么能数得清呢？

那么多星星，你是数不清的。

那么多星星，你数不清呀！

我发现这三个句子……

日积月累

选选认认

愉　榆

yú 树　　yú 快

址　趾

脚 zhǐ　　地 zhǐ

描　瞄

miáo 准　　miáo 图

帐　账

péng
zhàng 篷　　算 zhàng

愉　榆　描　瞄　址　趾　帐　账　篷

● 茂密的枝叶像凉棚似的，遮住了阳光。

● 夜晚，环形路上，一座座立交桥犹如道道彩虹。

● 五颜六色的裙子徐徐张开，就像一把把花伞。

● 人们在地上撒满了凤凰花的花瓣，好像铺上了鲜红的地毯。

读读背背

● 知识是我们飞向天空的翅膀。

● 思考(kǎo)可以构(gòu)成一座桥，让我们通向新知识。

● 天才是百分之一的灵感加上百分之九十九的汗水。

● 科学的未来，只能属(shǔ)于勤奋而又谦虚的年轻一代。

身边的科学

人们夏天要穿浅色衣服，是因为它们吸收太阳的热比深色衣服少，穿在身上就不会感到太热；常吃糖(táng)或甜食的小朋友，不但容易把牙齿吃坏，还会使自己变胖呢；电灯、电视开着的时候，我们是不能用湿毛巾去擦它们的，那样很容易触电，发生危险……

我们身边的科学知识可真不少！让我们把知道的和老师、同学交流交流，好吗？

写一写

这个学期快结束了，我要把自己在这学期的收获写下来。

暑假就要到了，我想写一写暑假里的打算。

展示台

这是我借到的科普读物，我来给大家读一段吧！

这是我们小组办的"身边的科学"手抄报。

宽带网

　　我国古代有许多科学成就。其中，造纸术、印刷(shuā)术、火药、指南针被称为四大发明，它们对世界科学技术的发展作出了很大的贡献。

　　我国现代有很多著名科学家。以钱学森和邓稼先为代表的科学家们，研制出了原子弹、导弹，并把卫星送上了天……

　　在其他方面，我国也有很多优秀的科学家，我们可以去查找资(zī)料，了解他们的成就。

1　春 的 消 息

风，摇绿了树的枝条，
水，漂白了鸭的羽毛，
盼望了整整一个冬天，
你看，春天已经来到！

让我们换上春装，
像小鸟换上新的羽毛，
飞过树林，飞上山冈，
到处有春天的欢笑。

看到第一只蝴蝶飞，
它牵引着我的双脚；

本文作者金波。

我高兴地捉住它，
又爱怜(lián)地把它放掉。

看到第一朵雏(chú)菊开放，
我会禁(jīn)不住欣喜地雀跃，
小花朵，你还认得我吗?
你看我又长高了多少!

来到去年叶落的枝头，
等待它吐出新的绿芭(bāo);
再去唤醒沉睡的溪流，
听它唱歌，和它一起奔跑。

跑累了，我就躺在田野上，
头顶有明丽的太阳照耀(yào)。
是谁搔(sāo)痒(yǎng)了我的面颊(jiá)?
啊，身边又钻出嫩绿的小草……

2　　一次有趣的观察

我常听大人说，扁豆的蔓(wàn)儿是向右绕着爬的。这是真的吗？我不相信，决定自己观察观察。

春天，我在院子的墙根下种上扁豆。有一天，我发现泥土裂开了，扁豆长出了小蔓儿。我找了根小竹竿，立在它旁边。我特意把蔓儿从竹竿的左边绕着缠(chán)上去。第二天天刚亮，我就起床了，跑去一看，扁豆蔓儿偷偷地绕到了竹竿的右边。我很奇怪，它是怎么从左边转到右边的呢？我决心看个究竟(jìng)。

星期天，我又把扁豆蔓儿从左边绕着缠在竹竿上，还在竹竿上用红墨水做了记号。我紧盯着它。过了半个小时，扁豆开始离开了记号，向右边移动。又过了两个小时，扁豆蔓儿离记号更远了。我还注意到，每隔一小时左右，扁豆蔓儿就突然抖一下。四个小时以后，扁豆蔓儿又转到竹竿右边，绕着缠上去了。

我终于相信扁豆蔓儿是向右绕着爬的。这是我自己观察到的！

3 特别的作业

上星期，于老师布置(zhì)了一项(xiàng)作业：到大自然里去找春天，并把找到的春天带到教室里。

今天，每个人该展示自己的作业了。

嗬(hē)，小朋友的课桌上，有用水碗盛的紫丁香，有放在铅笔盒里的杨花，有插(chā)在瓶子里的柳枝，有装在塑料袋里的青草……

小丽的桌子上只有一幅画，画的是一朵盛开的玉兰花。同桌的玲玲问："小丽，你找到的春天呢？"小丽指指桌子上的画，说："这就是！"

周围的同学都奇怪地想：画能代表春天吗？

小丽说："昨天，我在公园里，看到玉兰花开了，刚想摘一朵，就看到了'爱护花木'的牌子。我回家画了这朵玉兰花。"

本文根据刘阿莲作品改写。

老师听了，赞许地点了点头，说："小丽做得对！"

小龙的桌子上放着一只盒子，透过一层玻璃纸，一只胖乎乎的小蜜蜂在嗡(wēng)嗡地扇动着翅膀。老师指着盒子问小龙："这是你找到的春天吗？"

小龙回答说："是的。我想，等展示完了，我就放掉它，让它去采花蜜。"

"你们的作业都完成得很好，大家都找到了春天。"老师满意地笑了。

4 看浪花

三个孩子光脚丫(yā)，
坐在海滩看浪花。
哗——哗——
一束束浪花像问号，
在问孩子想什么？

"我想让海水变淡水，
哗啦哗啦浇庄稼！"
哗——哗——
一束束浪花像稻穗(suì)，
绿浪滚滚连天涯(yá)。

"我想到海里去探险，
身着潜(qián)水服装戏黑鲨(shā)！"
哗——哗——

本文作者陈显荣。

一束束浪花像马鬃(zōng)，
万马奔腾甩(shuǎi)尾巴。

"我想到海底去采矿，
抱出万千金疙(gē)瘩(da)！"
哗——哗——
一束束浪花像彩绸(chóu)，
万里海疆铺彩霞。

三个孩子看浪花，
说说笑笑忘回家。
哗——哗——
一束束浪花像小手，
抚摩(mó)孩子的小脚丫。

5　精彩的马戏

　　昨天,妈妈带我去看了一场精彩的马戏。

　　先说猴子爬竿吧。猴子穿着衣服,打扮得像个小孩。它爬到高竿顶上，在上面倒竖(shù)蜻蜓，一双圆溜[liū]溜的眼睛好奇地瞅(chǒu)着观众。那顽(wán)皮的样子,逗得观众哈哈大笑。

　　黑熊踩木球也很好玩。笨重的黑熊爬到

大木球上，身子直立起来，小心地移动着双脚，让大木球滚到了跷(qiāo)跷板上。木球刚滚过中心点，跷跷板的那一头就掉下来了。你看那黑熊多紧张啊！观众又发出一阵哄[hōng]笑。

山羊走钢丝，表演得也很出色。在细细的钢丝上，山羊就像在平地上一样，稳稳当当地走过来走过去。山羊还表演了它的绝技。钢丝上插(chā)着一块金属(shǔ)圆板，只有碗口那么大。山羊小心地把四只脚都踩在圆板上，身子弯得

像一座拱桥。全场观众都为它喝[hè]彩。

还有小狗做算术，猴子骑车，马钻火圈，都挺(tǐng)有趣。马戏团的叔叔阿姨真有办法，能让动物听从他们的指挥。

6 画 鸡 蛋

四百多年以前,有个意大利人叫达·芬奇。他是个著名的画家。

达·芬奇开始学画的时候,老师先让他画鸡蛋,画了一个又让画一个。他画得不耐烦(fán)了,就问老师:"老师,您天天要我画鸡蛋,这不是太简单了吗?"老师严肃(sù)地说:"你以为画鸡蛋很容易,这就错了。在一千个鸡蛋当中,没有形状完全相同的。每个鸡蛋从不同的角度去看,形状也不一样。我让你画鸡蛋,就是要训(xùn)练你的眼力和绘(huì)画技巧,使你能看得准确,画得熟练。"

达·芬奇听从老师的话,用心画鸡蛋,画了一张又一张,每一张都画了许多形状不同的鸡蛋。

后来,达·芬奇无论画什么,都能画得又快又像。

生字表（一）

1　羞 遮 掩 躲 探 嫩 符 触 鹊
　　xiū zhē yǎn duǒ tàn nèn fú chù què

2　枯 荣 宿 徐 篱 疏 未
　　kū róng sù xú lí shū wèi

3　笋 唤 揉 漆 轰 扭 钻 唠 辫 抚
　　sǔn huàn róu qī hōng niǔ zuān láo biàn fǔ
　　滋 润 冈 豪
　　zī rùn gāng háo

4　玫 瑰 骨 终 瘸 拐 惋 莺
　　méi guī gū zhōng qué guǎi wǎn yīng

语文园地一　材 牺 牲 渡 帽 烈 达 按 笨
　　　　　cái xī shēng dù mào liè dá àn bèn

5　哦 股 缝 罐 塔 杜 鹃 脆
　　ò gǔ fèng guàn tǎ dù juān cuì

6　锋 叔 曾 泞 窝 迈 荆 棘 瓣 莹
　　fēng shū céng nìng wō mài jīng jí bàn yíng
　　觅 需
　　mì xū

7　弱 末 萨 托 铃 簇 随 芬 芳 聊
　　ruò mò sà tuō líng cù suí fēn fāng liáo

163

	qīng 倾	dì 递	jiāo 娇	xiān 掀						
8	kǎ 卡	luó 罗	ěr 尔	shì 适	yú 余	diàn 垫	luò 洛	miāo 喵	róng 绒	tì 屉
	miǎn 免	hú 糊	tú 涂	chú 厨	cèng 蹭					

语文园地二

	yì 义	zhàn 占	gōu 勾	kù 库	liáng 粮	táng 唐	huāng 荒	zhuǎ 爪	fù 付	
9	huán 环	rào 绕	mào 茂	yǐn 隐	zhù 筑	xī 晰	méng 朦	lóng 胧	jìng 境	
10	gōu 沟	jiāng 疆	lǔ 鲁	fān 番	mì 蜜	tī 梯	wéi 维	wú 吾	gòu 够	diāo 碉
	bǎo 堡									
11	fèng 凤	huáng 凰	ēn 恩	qiāo 敲	jīn 襟	guà 褂	kā 咖	fēi 啡	cǎi 踩	duān 端
	zhàn 蘸	shòu 寿								
12	mù 幕	lín 临	shuò 烁	huī 辉	huáng 煌	duó 夺	zhuàng 幢	wěi 伟	yóu 犹	huàn 焕
	fǔ 府	xuàn 绚	fán 繁	bàn 扮	gōng 宫					

语文园地三

	zhǎi 窄	qióng 穷	jiàn 贱	è 恶	shàn 善	qiáng 强	bài 败	nèi 内	jiǎn 减

13	lǎng 朗	zhì 志	màn 漫	lín 鳞	yī 伊	lín 琳	nà 娜	āi 哎	hǒng 哄	piàn 骗
14	chǐ 齿	méi 枚	dāo 刀	cái 裁	lún 伦	dūn 敦	jiǔ 酒	biàn 便	sī 撕	yán 研

	jiū 究	zhèng 政	réng 仍

15	sòng 宋	tāo 涛	chén 陈	dān 丹	zhào 赵	yì 艺	xiǎn 显

16	chōng 充	xī 膝	lián 联	xuán 旋	shǔ 暑	yǒng 泳	náng 囊	jiǎn 剪	mó 膜	tāi 胎

	chà 差	zhān 粘	hēi 嘿	bàng 棒

语文园地四	fū 肤	dǎn 胆	xìng 姓	cè 厕	bì 毕	fǔ 斧	jià 驾	jǐng 警

17	lú 庐	pù 瀑	lú 炉	yí 疑	lù 鹭	hán 含	lǐng 岭	bó 泊	wú 吴

18	yā 压	luàn 乱	chuí 垂	hóng 虹

19	zhì 质	kān 勘	yán 岩	cè 册	hòu 厚	yìn 印	hén 痕	páo 刨	méi 煤	bǎo 宝

20	zhēn 针	zhōng 忠	zhǎn 盏	chóu 稠

语文园地五	cái 财	lán 栏	dǒu 抖	hóu 喉	lóng 咙	bàn 拌	jiǎo 搅	bǎng 榜	mán 馒

zū
租

21
dài jià gòu mò mǒ ǎi pī qiào qū yíng
戴 价 购 墨 抹 蔼 批 翘 驱 蝇
cán kuì gǒng
惭 愧 拱

22
huá bō lí suì zǎn fēng qiàn xiāng dùn
滑 玻 璃 碎 攒 封 歉 箱 顿

23
jì sǎng līn tǒng huàng diàn
既 嗓 拎 桶 晃 甸

24
jù guì máng shòu huò yào pǐn bīng zán qiǎng
具 柜 芒 售 货 药 品 兵 咱 抢
yù
裕

语文园地六
qié gū dùn kǎo bā káng jiǎn duò
茄 菇 炖 烤 扒 扛 拣 跺

25
líng xiáng fú jiǎng cuī bā zāng jīn
玲 详 幅 奖 催 叭 脏 筋

26
mò sī fù pài tán yà
莫 斯 附 派 谈 讶

27
yù jiāo chuǎn jié shǒu cuàn zhuàng zhuāng cǐ chú
寓 焦 喘 截 守 窜 撞 桩 此 锄

28
hōng wò shèng liè qī fù tǎo yàn gū bā
烘 卧 剩 裂 欺 负 讨 厌 孤 笆

jī　wěi　jiāng　kuī
讥　苇　僵　亏

语文园地七
zào　lǚ　guō　lòu　sháo　chǎn　hú　tāng　dié
灶　铝　锅　漏　勺　铲　壶　汤　碟

sǎ　yù　yǎng　shǎ　jù　zǔ　chǔ　héng　hàn
29　撒　玉　仰　傻　距　组　楚　衡　汉

dí　jiǎn　xìng　lán　yán　liù　chì　qū　táng　huǎng
30　迪　检　性　阑　炎　溜　斥　屈　堂　恍

wù
悟

kǒng　lèi　páng　bì　nài　wěi　wáng　bǔ　rǔ　tōu
31　恐　类　庞　避　耐　萎　亡　哺　乳　偷

fū　mí　huò　zhě　jí
孵　谜　或　者　籍

dé　duàn　pó　píng　lou　xíng　wū　xiāo　yù　dìng
32　德　段　婆　屏　喽　型　污　销　预　订

jì　wū
系　呜

语文园地八
yú　yú　miáo　miáo　zhǐ　zhǐ　zhàng　zhàng　péng
愉　榆　描　瞄　址　趾　帐　账　篷

（共 400 个字）

167

生 字 表（二）

	tuō	dòng	xī	mián	tàn	yáo	yě	duǒ	jiě
1	脱	冻	溪	棉	探	摇	野	躲	解
	wèi	zhuī	diàn	kū	xú	shāo	róng	cài	sù
2	未	追	店	枯	徐	烧	荣	菜	宿
	gāng	shì	jiè	hōng	sǔn	yá	hǎn	hū	huàn
3	冈	世	界	轰	笋	芽	喊	呼	唤
	dì	gē	gū	chōu	guǎi	jiāo	zhōng	jìng	tǎng	xiè
4	弟	哥	骨	抽	拐	浇	终	静	躺	谢
	jiàn	wēi							
	渐	微							
	wǎ	quán	rán	jiē	gǔ	cuì	tǎ	dù	juān
5	瓦	泉	然	结	股	脆	塔	杜	鹃
	mào	léi	xū	mài	mí	jì	shū	fēng	dī	sǎ
6	冒	雷	需	迈	迷	迹	叔	锋	滴	洒
	ní	nìng							
	泥	泞							
	pū	tuō	mō	lì	líng	ruò	mò	fēn	fāng	xià
7	扑	托	摸	利	铃	弱	末	芬	芳	夏
	yīng	gāi							
	应	该							
	dǎo	zhǎn	jiàn	shā	huán	rào	shèng	yǐn	yuē	shěng
9	岛	展	建	纱	环	绕	胜	隐	约	省
	mào	shèng							
	茂	盛							
	wú	jì	liú	xìng	mì	mì	pō	dā	zhāi	dìng
10	吾	季	留	杏	密	蜜	坡	搭	摘	钉
	gōu	gòu							
	沟	够							

11	lóng 龙	ēn 恩	shòu 寿	bǎi 柏	pō 泼	tè 特	jìng 敬	xiān 鲜	jiǎo 脚	dù 度
	fèng 凤	huáng 凰								
12	shù 束	gōu 勾	fǔ 府	dān 单	duó 夺	gōng 宫	bàn 扮	xióng 雄	wěi 伟	shuò 烁
	huī 辉	huáng 煌								
13	lìng 另	zhì 志	tí 题	tí 提	màn 漫	lǎng 朗	hǒng 哄	hē 喝	piàn 骗	
14	dāo 刀	ěr 尔	qiú 求	réng 仍	shǐ 使	biàn 便	yīng 英	piào 票	zhěng 整	shì 式
	ér 而	qiě 且								
15	dān 丹	wū 乌	yì 艺	xiǎn 显	hū 忽	sī 丝	gān 杆	zhǎ 眨	tāo 涛	chén 陈
	zhuàn 转	xié 斜								
17	wú 吴	hán 含	chuāng 窗	lú 炉	lǐng 岭	míng 鸣	jué 绝	yín 银	yān 烟	bó 泊
	liú 流	liǔ 柳								
18	chuí 垂	luàn 乱	chén 沉	yā 压	táo 逃	yuè 越	zhèn 阵	cǎi 彩	hóng 虹	chán 蝉
	zhī 蜘	zhū 蛛								
19	cè 册	yán 岩	bǎo 宝	pā 趴	yìn 印	páo 刨	mái 埋	lù 陆	tiě 铁	zhì 质
	hòu 厚	dǐ 底								
20	zhōng 忠	dǎo 导	zhǎn 盏	jī 积	chóu 稠	xī 稀	zhēn 针	pèng 碰	huāng 慌	

21	xiōng 兄	dāi 呆	shāng 商	mǒ 抹	jǐ 挤	gǒng 拱	jué 决	jià 价	qián 钱	gòu 购
	pī 批	píng 评								
22	bào 报	bō 玻	lí 璃	shí 拾	pò 破	suì 碎	huá 滑	jì 继	xù 续	fēng 封
	jiāo 骄	ào 傲								
23	līn 拎	tǒng 桶	tíng 停	cōng 聪	gē 胳	bó 膊	diàn 甸	huàng 晃	dàng 荡	
25	bā 叭	líng 玲	gǒu 狗	zāo 糟	lóu 楼	tī 梯	kěn 肯	nǎo 脑	jīn 筋	
26	yà 讶	tán 谈	pài 派	yǐn 引	liè 列	fēng 蜂	qiāo 敲	fù 附	jìn 近	
27	shǒu 守	diū 丢	jiāo 焦	fèi 费	wàng 望	suàn 算	cǐ 此	zhuāng 桩	féi 肥	
28	huī 灰	tǎo 讨	yàn 厌	bīng 冰	dàn 蛋	ké 壳	yā 鸭	qī 欺	fù 负	é 鹅
	chì 翅	bǎng 膀								
29	sháo 勺	dǒu 斗	yù 玉	zǔ 组	zhēn 珍	zhū 珠	shǔ 数	zuān 钻	yán 研	shuì 睡
	jù 距	lí 离								
30	yóu 油	jiǎn 检	chá 查	tuán 团	chì 斥	zé 责	yán 炎	kuā 夸	jiǎng 奖	
31	wáng 亡	ròu 肉	nài 耐	mí 谜	chuán 传	rǎn 染	lèi 类	yán 严	hán 寒	

(共 300 个字)